MORÕGETÁ WITÃ:

Oito contos mágicos

As palavras destacadas em **negrito** ao longo do texto são explicadas na página 50.

Dados Internacionais para Catalogação na Publicação (CIP)
(Maria Teresa Alves Gonzati CRB 9-1584 / Curitiba, PR, Brasil)

Y19 Yamã, Yaguarê.
Morõgetá Witã : oito contos mágicos / Yaguarê Yamã; ilustrações Catarina Bessell. — Curitiba : Positivo, 2014.
56 p. : il.

ISBN 978-85-385-8457-5

1. Literatura infantil. 2. Cultura indígena. I. Bessell, Catarina. II. Título.

CDU 087.5

Morõgetá witã: oito contos mágicos

Direção de programas de governo e governança editorial: Márcia Takeuchi
Projeto editorial e edição: Fabricio Waltrick, Lavínia Fávero
Revisão: Kátia Scaff Marques (superv.); Maiza Prande Bernardello
Supervisão de arte: Juliano de Arruda Fernandes
Edição de arte: Leonardo Carvalho
Produção gráfica: Danilo Marques da Silva
Assistência editorial: Emilia Yamada, Janaina Beltrame, Karina Miquelini

Rua Major Heitor Guimarães, 174
80440-120 – Curitiba – PR
Site: www.editorapositivo.com.br
Fale com a gente: 0800 723 6868

Impressão e acabamento:
Gráfica e Editora Posigraf Ltda.

1ª edição
2ª impressão

Impressão no Brasil
1 2 3 4 5 3 7 9 10 11 12

2017

Yaguarê Yamã

MORÕGETÁ WITÃ:
Oito contos mágicos

ilustrações
Catarina Bessell

EDITORA
POSITIVO

Aos amigos *Erik Nakanomi, Welerson Maia, Gil Gonçalves, Emerson Brasil, Lilian Alves, Juciele Cursino, Gener Carneiro, Jair Almeida, Walace, Zandonaide Bastos* e *Rossy Amoedo.*

SUMÁRIO

Prefácio

Yaguarê Yamã é uma surpresa, mesmo depois de tantos livros publicados. Seu conhecimento da tradição do povo Maraguá, somado ao que escreveu sobre os Sateré-Mawé, parece inesgotável.

Mesmo em uma antologia tão curta, de apenas oito mitos, podemos observar o frescor de um estilo novo na literatura indígena, que por sua vez há de abrir sendas para a literatura brasileira. Geógrafo com formação universitária, tem domínio perfeito da língua portuguesa; fala duas ou três outras línguas, pois é Maraguá por parte de mãe e Sateré-Mawé por parte de pai, e conhece o nheengatu, a língua geral amazônica, na qual se comunicam numerosos índios da região. Yaguarê nos explica que a língua maraguá tem poucos falantes, em virtude de sua estreita convivência com os Sateré-Mawé, habitando a mesma terra até há pouco. Deve ser aprendida pelos mais jovens para renascer.

O que é original em seu trabalho é que ele escreve o que sabe, o que lembra, o que lhe ensinaram os antigos, sem medo de se expressar no português regional, misturado ao léxico indígena. É diferente de um método como o meu e de outros, que registramos vozes em língua indígena, para em seguida traduzi-las com o auxílio de índios bilíngues e em um terceiro momento passamos a escrevê-las em língua portuguesa. Sua autoria é bem maior, é própria, criativa. Os temas anunciam grandes diferenças entre os Sateré-Mawé e os Maraguá. Relendo o seu belo livro *Sehaypóri*, o livro sagrado do povo Sateré-Mawé, é possível perceber como é diferente nos Maraguá o mito da origem da mandioca, com a noiva-lagarta dona da roça, ou a do mágico aparecimento do guaraná, com a Moça dos Belos Olhos, Çereçá-Purãga. Os oito mitos despertam a sensação do novo, mesmo para quem mergulhou no universo mítico de muitos dos nossos 300 povos. Somos arrebatados ao saber do desejo das árvores de terem cada qual o seu perfil ao serem criadas, ou ao encontrar um ser humano criador de cobras, doador de seu corpo a elas. As mulheres têm uma força e decisão incomuns nessas narrativas, com a coragem de escolher os seus amores, mesmo que com um final infeliz, temperado, porém, por uma ressurreição ou metamorfose. É o caso da menina do arco-íris, ameaçada de ser levada ao mundo das trevas, que se desfaz em cores no céu. E há guerra e paz com o casamento entre gente humana e gente peixe, que faz aceitar a diferença e abolir a inimizade. E que dizer de um wirapuru, o pássaro encantado, babá dos filhotinhos órfãos de mães e pais alados?

Há ao mesmo tempo um clima do imaginário da Amazônia, perpassado por influências externas aos índios, fantasmagórico, assombrado.

A história dos Maraguá e suas características, descritas ao final, e o glossário enriquecem o livro. A criação de Yaguarê levará um público jovem a uma viagem por ignotas regiões de fantasia.

Betty Mindlin, antropóloga, conheceu os índios da Amazônia em 1978. Convivendo com eles ganhou outra vida: a floresta, novos parentes, a alegria das aldeias, o trabalho na roça, noites nas ocas de palha, o fogo sob as redes, risadas, brincadeiras. Apaixonada por muitos povos, apoiou-os na luta por suas terras e por seus direitos. Além disso, publicou com eles muitos livros de narrativas indígenas nunca antes escritas. Betty é autora, entre outras obras, de Diários da Floresta *(Terceiro Nome, 2006) e* Olívia e os índios *(Editora Scipione, 2014).*

MANYÇAGUALY MORÃG, A MOÇA-LAGARTA

Em nenhum lugar do mundo se ouvem tantas histórias sobre Manyçagualy, a mãe ou o espírito da roça, como no ***ygarapé*** *Marũi, na fronteira do território de Maraguapajy, o país dos Maraguá. Ali, todas as famílias têm seu lugar sagrado, um cantinho escolhido para venerar a mãe da roça, que não é inseto, mas é como se fosse o espírito protetor dos insetos. Também não é raro encontrar alguém que já tenha visto ou falado com Manyçagualy. Dizem até que a entidade se transforma em gente, num rapaz bonito ou numa linda moça para se casar com pessoas, como conta esta lenda.*

Manyguára era um rapaz muito trabalhador. Caminhava em direção à sua plantação de **manywa** quando encontrou uma moça. Intrigado e, ao mesmo tempo, sentindo-se atraído por sua beleza, perguntou quem era ela e o que fazia naquele lugar.

– Eu moro aqui – disse ela. – Sou a dona desta roça.

– Como pode? Quem plantou a roça fui eu – respondeu o rapaz, contrariado. – Nunca a vi. Como me diz que mora aqui?

– Sou dona deste lugar, sim! – retrucou Manyçagualy. – Você logo entenderá por quê.

– Menina-moça, não a conheço – ponderou Manyguára. – Mas nem por isso vou lhe tratar mal. Se você diz que é dona do que é meu, então é. Só peço que saia do caminho, pois preciso trabalhar.

Manyguára ignorou a presença da moça e continuou a caminhar até a plantação. Chegando lá, pegou a enxada e se

pôs a cortar o capim em volta dos pés de manywa. De repente, ouviu um sussurro, uma voz suave que lhe falou com carinho:

– Não me trate com desprezo, pois sou eu quem cuida da roça para você.

O rapaz olhou para todos os lados. Até que viu, próximo a seus pés, um bichinho parecido com uma lagarta. Primeiro pensou em cortá-la com a enxada, mas depois teve dó e falou:

– Se eu não tratei mal a moça que disse ser dona de minha roça, por que mataria esta pequenina lagarta que diz cuidar do que é meu?

Então não se importou mais com tanta surpresa. Quando se cansou, voltou para casa.

No outro dia, retornou para continuar o trabalho. Ao passar pelo mesmo lugar, encontrou-se com a moça, que se aproximou e lhe agradeceu.

– Obrigada, bom jovem, por não ter me ferido com a enxada. Queria saber se você era mesmo do bem, como meus pais me disseram.

Assustado, Manyguára respondeu:

– Agora estou sem entender mais ainda. Primeiro você diz que é dona de minha roça, agora fala que era a lagarta que quase cortei ontem. Quem é você de verdade?

– Sou **Manyçagualy Morãg**, o espírito protetor da sua roça. Você não percebeu ainda? Meus pais, que cuidam da roça de sua mãe, me falaram a seu respeito, de como você é muito trabalhador. Para eles, o que conta é o valor dado ao trabalho, por isso me pediram para casar com você.

– Eu até imaginei por um momento, quando ontem ouvi o sussurro, mas não pensei ser verdade. Até então, tinha você como uma invenção de meus pais para eu cuidar mais da natureza.

– Agora você sabe que não. E quanto à proposta, o que me diz?

– Sim. Quem sou eu para recusar o pedido de tão linda moça?

Parecia que os dois se conheciam há tanto tempo, porque se puseram a conversar sem cessar. Sentaram-se debaixo de um **tapiry**, e o tempo passou tão rápido que o rapaz nem percebeu. Encantado com a beleza e a conversa da moça, acabou cedendo a seus encantos e se entregou a ela de corpo e alma.

Manyçagualy lhe beijava com muito carinho, e ele a abraçava com paixão. Até que percebeu que a moça tinha uma ferida nas costas. Assustado, perguntou:

– Que ferida é essa em suas costas, meu bem?

– Além de você, testei outros rapazes. E todos, além de me maltratar, me feriram nas costas com suas enxadas.

– Ah, agora acredito mesmo que aquela lagarta era você.

– Eu era Manyçagualy desta roça. A lagarta era a minha forma enquanto cuidava dela. Agora que você me terá como esposa, não preciso mais ser lagarta. Sempre que precisar, cuidarei de sua roça, mas na forma de mulher.

Assim, os dois jovens juraram amor eterno. E, quando o Sol se pôs, ele voltou para sua casa, levando a noiva. Lá fizeram um quarto para morarem. Daí em diante, todos ficaram sabendo que todo lugar, inclusive a roça, tem uma mãe, a Manyçagualy, que a protege e cuida.

MOLÕGÓ, A ÁRVORE MODESTA

No início do mundo, as árvores eram todas iguais. ***Monãg****, o grande criador do Universo e senhor do bem, ainda vivia no céu quando seu filho* ***Wasiry*** *desceu para visitar sua obra. A natureza já havia sido iniciada. Só faltava ajustar detalhes. Monãg sabia que a sabedoria de Wasiry daria ao mundo um toque especial, melhor do que ele mesmo havia feito em outros mundos. Por isso ficou só olhando e torcendo para o filho terminar logo para que ele pudesse ir morar na Terra. E Wasiry cumpriu muito bem sua missão. Tanto que é chamado de "embelezador do mundo".*

Um dia, Wasiry acordou muito contente e resolveu fazer as vontades das árvores. Foi perguntando a cada uma delas como gostariam de ser, quais seriam as suas características. Começou pelo **imirá'ãtã**, que escolheu ser muito duro e resistente. Assim fez Wasiry, transformando o pau-d'arco na árvore mais dura que existe na Amazônia.

Em seguida, foi até a marakatiára, que disse que queria saber gritar. Assim fez Wasiry, e a marakatiára pôs-se a gritar ao som do vento em sua ramagem.

A guarãtã quis ser forte, alta e também muito bonita. Assim fez Wasiry, convertendo a castanha-do-pará na rainha das árvores de terra firme da Amazônia: sua grandeza pode ser vista de longe.

A vontade do yabuty'py era ser alto e fino, para dificultar que lhe tirassem o fruto. Por isso, pediu também que desse um único fruto ao ano. Assim fez Wasiry, e o pé de jabuti pôde proteger o fruto mais gostoso da floresta.

A imiráçukwêna disse que gostaria de ser muito cheirosa e que o chá de sua casca fosse muito saboroso. Assim fez Wasiry, transformando a preciosa numa árvore muito desejada.

Ao ouvir o pedido da preciosa, o **patyxulymirá** também quis a mesma coisa.

– Não! Não pode fazer o mesmo pedido – respondeu Wasiry. – Será cheiroso, mas, em vez de ser usado para chá, sua essência servirá de perfume. Assim fez Wasiry, dando ao pau-rosa o aroma mais marcante da floresta.

O filho de Monãg continuou a atender as vontades das árvores. À kopaýba, deu a capacidade de fazer óleo medicinal. O óleo da copaíba é utilizado para tratar bronquite, tosse e inflamação. À piranheira ou piranhamirá, ofereceu a ramagem mais bela das árvores de várzea. A samaúma, ou çamaúma, recebeu a largura e a frondosidade de poucos.

Quando chegou sua vez, o molõgó pediu para ter o corpo muito fraco e, se fosse possível, ser grosso para servir de banco. Admirado pela simplicidade da árvore, Wasiry perguntou novamente o que ela queria, mas a resposta foi a mesma.

– Então você quer ser desta maneira? Pois bem, vou fazer o que pede.

Satisfazendo a vontade do molõgó, Wasiry não deixou de comentar sua virtude:

– Todas as demais pediram madeira dura, para serem altas e bonitas. Você foi diferente, pediu madeira mole e fraca e, por isso, será a árvore do artesanato. Sua madeira servirá para esculpir os mais belos bastões de **malylis**, os mais bem feitos bancos dos **tuxawas** e todos os tipos de boneco.

Desde então, o molõgó, que também é chamado de molongó, está presente em diversos tipos de arte do povo Maraguá.

GUARŨGUÁ, O FILHO DA PAZ

O peixe-boi ou guarugũá é o mais importante símbolo do povo Maraguá. Nas tardes de verão, quando as crianças correm para a ***mirixawaruka****, é que os* ***malylis*** *contam a história de sua origem. Não há quem não goste de ouvir sobre seus feitos e, principalmente, sobre como tudo começou. Dizem os antigos que há muito tempo houve uma grande guerra entre os humanos, moradores da terra, e os peixes, moradores da água. As pessoas matavam os peixes, e os peixes comiam as pessoas. Foi quando* ***Monãg*** *resolveu forçar a paz entre as duas partes.*

Vendo que a guerra entre humanos e peixes não tinha fim, Monãg resolveu perguntar a seu filho **Wasiry** o que ele achava melhor fazer. Wasiry lhe disse para descer até o fundo do rio e conversar com **Guaporé**, o filho mais velho de Pirarukú-açú, o principal líder dos peixes. Ali o deus saberia como agir.

Foi o que Monãg fez: mergulhou no rio e procurou Guaporé. Ele o encontrou descansando próximo de uma touceira de peremebeka, enquanto suas duas noivas, **Matrinxã** e **Pirapitinga**, poliam suas escamas.

– Vá até a superfície – ordenou Monãg. – Transforme-se em gente e seduza a jovem **Panãby'piã**, filha de **Tãbaguá**, o líder do povo Maraguá, e que está pra casar. Vá esta noite mesmo, pois amanhã já quero ver o resultado.

Ciumentas, as noivas do filho de Pirarukú-açú não queriam deixá-lo ir. Mas Monãg falou:

– Por causa disso, vocês jamais se casarão com Guaporé nem com qualquer pirarucu. De hoje em diante, nunca mais conseguirão se achegar ao pirarucu.

Até hoje é assim: qualquer peixe pode ficar perto do pirarucu, mas quando chega a matrinxã ou a pirapitinga, ele vai embora rapidamente.

Horas depois, Guaporé já estava diante da aldeia **Yãbetue'y,** transformado em um elegante rapaz. Aquela noite, o lugar estava em festa. Panãby'piã iria escolher o marido no ritual **Ãguipagwák**. Todos os jovens valorosos haviam esperado por esse momento. A moça escolheria um deles para ser seu marido, ninguém sabia qual. Antigamente, era assim que os Maraguá se casavam.

Guaporé ficou olhando de longe, então aproveitou a multidão para se infiltrar por trás do círculo onde os rapazes a aguardavam. Encantado com a beleza de Panãby, não perdeu tempo, transformou suas escamas num lindo **maraká** e começou a chacoalhá-lo.

Enquanto os pretendentes da moça formavam uma grande roda em torno dela, Guaporé se mantinha afastado. Não queria despertar atenção e, principalmente, era assim que pretendia ganhar o coração de Panãby.

Quando chegou o momento de escolher o marido, a moça abriu os olhos e viu Guaporé. Na mesma hora se apaixonou. Quem era ele? A que povo pertencia? Mas infelizmente não podia escolhê-lo, pois era um desconhecido, e as moças maraguás não podiam se casar com estrangeiros. Então, ela apontou para um rapaz qualquer.

– Poxa, sou eu! – gritou alegre Pitãguá, filho de um pescador da aldeia, em sua simplicidade.

– Parabéns, rapaz! Como pode? Uma moça tão desejada ter escolhido alguém tão sem destaque! – falou, contrariado, o **tuxawa** Tãbaguá.

Em meio à alegria geral, todos comemoraram o matrimônio, dançando e bebendo **kaxiry**. Enquanto isso, Guaporé se retirou para a beira do rio e ficou aguardando o resultado.

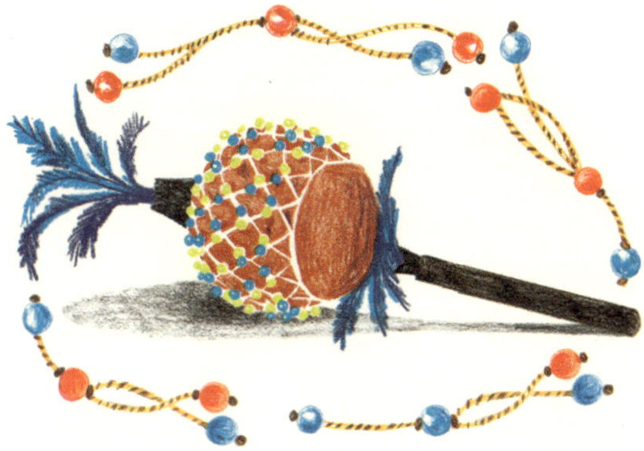

Depois de horas de festa, todos foram dormir, menos Panãby. Em sua nova casa, não deixou o marido abraçá-la. Fingiu estar cansada e foi deitar. Mas, querendo ver de novo aquele moço, disse a Pitãguá que iria se banhar.

– Se você não quer que eu a acompanhe, pelo menos convide alguma amiga para ir com você – falou o marido.

– Não precisa – respondeu ela. – Estarei segura sozinha.

– Então vá – concordou Pitãguá, sem querer contrariar Panãby.

Na praia do rio, a moça se encontrou com Guaporé, que a esperava pacientemente. Panãby'piã se aproximou, o pirarucu a abraçou, e os dois ficaram juntos até a manhã chegar. Antes de o Sol nascer, ele se levantou e mergulhou na água. Quando Pitãguá apareceu na margem do rio para procurá-la, não soube explicar ao marido o que havia acontecido. Envergonhada por ter dormido com o estranho, voltou com o marido para a aldeia, entrou em casa e não saiu mais.

Depois de alguns meses, ela apareceu de novo no **terreiro**.

Estava grávida, prestes a ter o filho. Todos se aproximaram para parabenizá-la, mas Panãby saiu correndo e, antes que alguém pudesse impedir, se jogou na água e afundou.

Agitados, os moradores pediram ajuda do **malyli** da aldeia, que revelou:

– Esta moça nunca mais voltará para o marido. Foi enfeitiçada pelos peixes e agora é esposa de Guaporé, filho do Pirarukú-Açú. Ela se jogou grávida na água porque foi levar o filho para o pai verdadeiro. Seu filho nunca será gente, pois é fruto da união entre peixe e humano. Ele vai se chamar Guarũguá. Esse é o desejo de Monãg, que está triste por causa de nossa guerra. Com essa união, está pedindo que os peixes voltem a ser nossos irmãos.

Desde então, nunca mais os Maraguá guerrearam com os peixes. Pouco tempo depois, o Guarũguá apareceu boiando e fazendo banzeiro no porto da aldeia. O pajé o transformou em símbolo do povo. Quanto a Panãby'piã, dizem que se transformou em Guayára, a senhora das águas.

GUARŨGUAYARA, A SENHORA DOS PEIXES-BOI

*Entre os Maraguá, é difícil encontrar alguém que pesque com rede de pesca ou **timbó**. A maioria prefere pescar com **izagaia** ou flecha, tradição do povo que melhor mostra a habilidade do pescador. Assim, evitam estragar comida e, principalmente, enraivecer os espíritos protetores da natureza, que não toleram quem esbanja alimento ou estraga pescados, poluindo o rio. Mas, uma vez, **Guirá'pó**, um rapaz Maraguá que morava perto do rio Abacaxis, quis fazer diferente...*

Certo dia, Guirá'pó foi convidado por pescadores brancos para pescar com rede. Ele nunca havia pescado dessa forma, muito menos com a intenção de ganhar dinheiro, como queriam seus amigos.

Seus parentes sempre lhe advertiam sobre o perigo de matar mais do que se pode comer. Ele também sabia quanto era arriscado pescar peixe-boi no lago Yurupary, pois os animais eram protegidos por Guarũguayara, a senhora dos peixes--boi. Guirá'pó ouvia essa história desde criança. Mas foi difícil resistir à tentação do convite de seus amigos brancos.

Guirá'pó entrou no barco com mais quatro pescadores. Após viajar pelo rio, a embarcação entrou no lago, a morada principal dos guarupés, os peixes-boi encantados. Lá chegando, os pescadores se puseram a matar muitos peixes-boi. Pescaram o dia todo e, quando a noite chegou, já havia muitos animais dentro do barco.

Pela manhã, feliz por ter ajudado a pegar dezenas de peixes-boi, o índio subiu até a cobertura do barco para se localizar quando viu vários deles nadando em direção à embarcação. Chamou os companheiros e, quando eles olharam, apareceu uma mulher em meio ao cardume. Ela se ergueu da água e falou:

– Eu sou Guarũguayara. Obedeçam ao que lhes ordeno: parem de matar minhas criações, senão lhes jogarei grandes feitiços para nunca mais viverem em paz.

Com medo de que a senhora dos peixes-boi o tornasse louco ou o transformasse em um ser encantado que viveria para sempre preso no fundo do lago, um dos pescadores suplicou:

– Perdoe-nos, mas, por favor, não nos jogue esse feitiço.

– Não os enfeitiçarei se deixarem meus peixes-boi em paz.

– Mas como vamos sobreviver se não matarmos peixes-boi? Vamos morrer de fome... – teimou um dos pescadores.

A mulher, porém, manteve a ordem:

– Este é o último aviso. Se não pararem de maltratar minhas crias, eu lhes castigarei sem piedade.

Sem mais espera, os pescadores pegaram seus remos e foram embora daquele lugar, assombrados. Guirá'pó ficou com tanto medo que nunca mais aceitou um convite para pescar com rede. Também tratou de lembrar de uma importante lei da natureza: nunca se deve matar mais do que se pode comer.

ANINGÁWA, O PROTETOR DAS COBRAS

Houve um tempo em que as cobras e os demais répteis não tinham onde morar. Padeciam sem ter onde dormir. Sequer podiam descansar, porque tinham de fugir o tempo todo das pessoas que não lhes respeitavam. Viviam perseguindo as cobras porque acreditavam que eram más, ainda que não fossem. Elas só mordiam quando eram ameaçadas, mas disso ninguém queria saber. Porém, desde que ***Aningáwa****, um indígena do povo Maraguá, começou a cuidar delas, tudo em suas vidas mudou.*

Aningáwa era um homem bondoso, que aprendeu a respeitar os animais ainda criança. Na adolescência, passou a cuidar dos répteis: tinha um grande fascínio pelas cobras. Tanto que **Çukuywéra**, o espírito da água e mãe de todas as serpentes, costumava protegê-lo.

De manhã até a tarde, Aningáwa passava o dia cuidando de suas amigas cobras. Seu pai sempre dizia:

– Aningáwa, separe pelo menos algumas horas para cuidar de si mesmo.

Mas ele não atendia. Tão grande era sua obsessão em cuidar das cobras que acabou fazendo uma casa para morar com elas. Esqueceu completamente de si mesmo e vivia só para os animais.

Cobras de todos os tamanhos e espécies iam dormir na casa de Aningáwa, mas ele ainda não estava satisfeito.

O tempo passou. Aningáwa ficou velho, mas não deixava de cuidar e dar alimento para as cobras. Antes de morrer, chamou seus irmãos e fez um pedido:

– Quando eu falecer, cortem meu corpo em quatro pedaços, depois joguem cada um em lugares diferentes: no rio, no lago, na **restinga** e na terra firme.

No dia em que Aningáwa morreu, os irmãos resolveram atender o seu pedido. Mas, para chegar ao corpo dele, tiveram muito trabalho. Vieram cobras de todos os lugares, e não tinha como os irmãos passarem, pois os animais atacavam todos que dele se aproximassem. Somente depois de pedirem ajuda a Çukuywéra é que os irmãos conseguiram passar.

Então cortaram o corpo de Aningáwa em quatro pedaços e os jogaram nos diferentes lugares que ele havia indicado.

Passado um mês, plantas começaram a crescer dentro da água do rio e do lago. A elas foi dado o nome de **aninga**, que significa 'quem nasceu de Aningáwa'. Passado outro mês, surgiu uma planta na várzea onde haviam jogado um pedaço do corpo de Aningáwa. A ela foi dado o nome de **mabary**, que quer dizer 'planta aquática'. Na restinga também nasceu uma planta, que foi chamada de **sororoka**, que significa 'touceira de bananas falsas'.

Finalmente as cobras tiveram lugar para morar. Çukuywéra, muito agradecida, pediu às filhas que não esquecessem nunca a bondade de Aningáwa. E é por isso que, até hoje, as cobras vivem nos lugares onde o corpo dele foi colocado.

WIRAPURU, O PÁSSARO ESPECIAL

Num tempo em que ***Wasiry*** *ainda não havia criado os seres humanos, os animais é que trabalhavam e comandavam a vida na terra. Cada grupo de animais tinha um governante. O líder dos peixes era o pirarucu, a onça era a senhora da terra, e a responsabilidade pelos pássaros foi dada ao urubu. Ele sempre foi um bom governante. Fazia tudo certo. Não deixava nada sem resolver. Mas, como em todo lugar sempre há alguém para contestar o governo de outro alguém, certo dia eclodiu uma terrível guerra entre os pássaros.*

Ninguém sabe como surgiu essa guerra. Mas, desde que o gavião protestou contra o governo do urubu, os demais pássaros tiveram que tomar partido de um ou de outro. Dessa maneira, não houve quem não se envolvesse na guerra. Quase todos os pássaros acabaram morrendo. Somente seus filhotes restaram, tristes e desamparados.

Sem mãe e sem pai, eles também começaram a morrer. Foi então que Wasiry, vendo que os pássaros iriam acabar se não tomasse nenhuma providência, pensou em criar uma ave para cuidar de todos os filhotes.

Ficou imaginando como seria ele, que cor teria... Queria algo diferente, nunca visto. Fez, então, um passarinho de palha seca de tucumã. Soprou em seu bico e disse:

– Viva, passarinho, pois tenho uma missão para você.

Quando ele abriu os olhos, Wasiry avisou:

– Você tem um trabalho muito especial a fazer.

Em seguida, mostrou-lhe todos os filhotes prestes a morrer de fome e explicou:

– Você alimentará todos até que cresçam, pois seus pais morreram na guerra dos pássaros.

O passarinho se preparava para voar quando Wasiry lhe chamou mais uma vez.

– Mesmo sem beleza exterior, colocarei em você um canto tão lindo e tão majestoso que no mundo não haverá quem o supere. Pelo seu trabalho e pelo seu canto, todos os outros pássaros lhe respeitarão. Desde já lhe chamarei de **wirapuru**, que quer dizer 'pássaro especial'.

A pequena criatura saiu para o seu dever. Chegou até os filhotes e, depois de muito trabalho, conseguiu reuni-los num só lugar. Com afinco, trabalhava dia e noite. Voava atrás de alimentos e distribuía a todos eles. Quando queria que dormissem, usava seu canto magnífico, e as pequenas aves ficavam caladas, escutando.

Com muita presteza, o pequeno wirapuru se tornou uma babá das melhores. Conseguiu criar todos os filhotes sem deixar um só morrer.

Os anos se passaram, e todos os passarinhos estavam bem criados. Por algum tempo, o pequeno wirapuru viveu sozinho na floresta. Foi quando os pássaros lembraram do trabalho que ele havia feito. Então resolveram lhe agradecer.

Designaram um filhote de cada espécie e de cada família para proteger o wirapuru. É por isso que ele anda cercado de passarinhos protetores. Na selva, onde mora, pássaros de todas as espécies gostam de estar sempre com ele. Algumas pessoas dizem que é para ouvir seu canto, outras falam que é para protegê-lo dos caçadores e de outros predadores.

ÇE'REÇÁ-PURÃGA, A BELEZA DO GUARANÁ

Os antigos dizem que o nome 'guaraná' teve origem na primeira vez em que os Maraguá viram essa fruta. Alguns guerreiros do povo foram visitar os indígenas andirazes, no ***rio Andirá****, terra do atual povo Sateré-Mawé. Quando viram os grãos plantados nas roças, ficaram admirados com sua aparência exótica e exclamaram Guá rãna! Guá rãna!", que quer dizer 'Parece olho de gente! Parece olho de gente!'. Mas existe outra versão, a história de uma moça chamada Çe'reçá-Purãga. Seu nome significa 'meus olhos bonitos', e ela viveu um amor proibido...*

Era época de casamentos entre os Maraguá. E Çe'reçá--Purãga, que era filha do **malyli** da aldeia, estava sendo preparada para se tornar mulher de um guerreiro. A vontade do pai é que escolhesse **Anaye'reçá**, o valoroso filho de Guirá'pó, **tuxawa**-geral do clã dos botos. Mas era ela quem deveria decidir.

Os jovens pretendentes já estavam reunidos em círculo na **piãg'nawa** para realizar o ritual **Ãguipagwák**. Embebedados pela beleza de Çe'reçá-Purãga, homens de diversas aldeias fizeram de tudo para conquistá-la: trouxeram as melhores caças, colheram as mais belas flores de *patchuli*, coletaram essência de pau-rosa para que ela se perfumasse...

Naquela época, os Munduruku eram mamõgwara, inimigos dos Maraguá. Mesmo assim, Oderu-Obóri, filho de **Kaxy**, o tuxawa dos Munduruku, resolveu se infiltrar na festa, de tanto ouvir falar da beleza de Çe'reçá. Quando a moça o viu, seu coração queimou de paixão. Mas a tradição não permitia que uma mulher maraguá se casasse com um estrangeiro, muito menos com um mamõgwara.

A união entre Çe'reçá-Purãga e Oderu-Obóri era impensável! Sabendo que não poderia escolhê-lo, a moça acabou optando por Anayê'reçá, para satisfazer a vontade de seu pai.

O tempo passou, mas Çe'reçá não esqueceu Oderu-Obóri. De tanto pensar nele, jamais deixou que o marido a tocasse.

– Não consigo gostar de você, Anayê. Perdoe-me.

– Mas... então...? Como faremos para manter o casamento? Não há nada que eu possa fazer para que goste de mim?

– Não sei. Preciso esquecer alguém.

No entanto, a moça não conseguiu esquecer sua paixão. De tanto sofrer por seu amor, resolveu finalmente procurá-lo. Mesmo sabendo do mal que faria ao seu marido e ao seu povo, Çe'reçá-Purãga preferiu se entregar ao mamõgwára.

Daquele dia em diante, não teve mais receio ou arrependimento. Evitando se deitar com o marido, encontrava-se frequentemente na floresta com Oderu-Obóri. Um dia, resolveu fugir com ele. Pediu que se escondesse próximo da aldeia e esperasse por ela. O rapaz a esperou, mas foi descoberto por Anayê.

Antes que saísse para o encontro, Çe'reçá viu Anayê e seus guerreiros trazendo Oderu-Obóri como prisioneiro. Todo o povo se reuniu no terreiro da aldeia para vê-lo. A moça chorava, inconsolável. Nesse momento, já sabendo da prisão do filho, Kaxy deu ordem aos guerreiros mundurukus, e os dois povos entraram em guerra.

Dizem os antigos que foi a pior **marãna** que os Maraguá já enfrentaram. Maior até do que as muitas lutas que travaram contra os brancos que invadiram seu território. Morreu muita gente: muito Munduruku e muito Maraguá. Não houve vencedor nessa guerra.

Atacados, os Maraguá se defenderam avançando e chegaram até a segunda aldeia munduruku. Convicto da vitória sobre os inimigos, o pai de Anayê se descuidou e foi alvejado no peito por flechas certeiras.

Querendo vingança, Anayê deixou a ayãgapuó e se dirigiu para a **maloca** onde Oderu-Obóri estava preso. Çe'reçá entrou e, vendo que o marido ia matar seu amor, atirou-se sobre a faca que ele segurava, permitindo que o Munduruku fugisse.

Çe'reçá-Purãga aos poucos foi desfalecendo. Mas, antes de morrer, revelou seu amor por Oderu-Obóri a todos na aldeia. Surpresos, os moradores pediram o fim da guerra. Anayê ficou inconformado com a revelação, mas não abandonou sua esposa. Em seus braços, Çe'reçá pediu que ele a enterrasse dentro da maloca.

Na presença de todos, Anayê a enterrou. A aldeia toda ficou de luto por vários dias, não só pela morte do grande tuxawa e pelos Maraguá mortos na guerra, mas também por Çe'reçá-Purãga, a mulher indígena mais bonita que já existiu.

A maloca onde viviam Anayê e Çe'reçá permaneceu fechada, e ninguém percebeu que um arbusto crescia dentro dela. Dos olhos da moça nasceu uma planta e dela brotou uma fruta, a mais linda já vista. Tinha aparência dos olhos de Çe'reçá-Purãga – negros como a noite.

Um dia, um **curumim** que brincava nas cercanias entrou na maloca por acaso e deparou com os lindos frutos daquele arbusto espesso. Avisada, a aldeia toda foi até lá para conferir. Animados com a beleza dos frutos, deram-lhes o nome de guá'rãna. Perguntaram ao malyli o que deveriam fazer das frutas, e ele respondeu:

– Torrem e pilem, pois esse é o fruto da bênção de **Monãg**. Ele fez da desobediência de Çe'reçá-Purãga uma dádiva. O suco desses frutos nos dará força. Nossa saúde virá de nosso trabalho. Devemos cultivá-lo e torná-lo nossa planta-mãe.

POTYPIÃ, A MENINA ARCO-ÍRIS

Quando a chuva cai, traz consigo a beleza das sete cores do arco-íris.

Os antigos têm sua própria maneira de explicar esse fenômeno da natureza. É a história de ***Potypiã****, a mais linda menina da aldeia* ***Gwasytáwa****, escolhida por* ***Monãg*** *para simbolizar a diversidade das cores da floresta. Ela também foi a eleita pelo deus do bem para casar com seu filho Wasiry, o criador dos seres vivos. Mas, no outro lado da vida, um espírito arrogante quis ficar com os encantos de Potypiã só para si.*

Para que Potypiã pudesse representar as cores da floresta, Monãg pediu ao pai da menina, Gudiák, que lhe fizesse um cocar de penas de todos os tons. Ele então escolheu as penas mais bonitas para que fizessem parte do cocar da filha.

Quando cresceu, a menina se tornou tão linda quanto o próprio cocar. Tinha o sorriso tão belo que não havia quem não lhe cortejasse. Sua alegria fazia todos muito felizes. Mas como todos sabiam que ela estava prometida para **Wasiry,** ninguém ousava pedi-la em casamento.

Os noivos nem sequer haviam se conhecido, mas já se amavam. À noite, Potypiã olhava as estrelas, querendo descobrir qual delas era Wasiry. Até que um dia, surgindo do mundo escuro, o lado oposto da vida, apareceu Anhãga, o senhor do mal. Encantado pela beleza da moça, não mediu sua arrogância. Chegou à aldeia e, diante de todos, ameaçou destruí-la se o pai dela não lhe desse a moça em casamento.

– Vou levá-la – disse. – Ela será minha mulher e governará comigo o mundo subterrâneo.

Com grande temor, Potypiã prometeu que iria com Anhãga e seria sua esposa, mas antes pediu que lhe desse um tempo. Queria um dia para ir até as estrelas, na casa do amado Wasiry, e ter pelo menos a oportunidade de conhecê-lo. Em seguida, desceria com ele ao mundo subterrâneo. Anhãga disse que a deixaria ir se prometesse voltar logo.

Assim aconteceu. Quando Anhãga desceu, Potypiã voou até o céu com a ajuda de duas araras, pássaros de estimação de Monãg. Mas antes escolheu sete lindas penas, uma de cada cor, para se livrar do encanto de Anhãga e viver feliz com Wasiry.

Acontece que o espírito do mal descobriu que havia sido enganado e mandou uma legião de **zoraks**, seus homens-morcego, atacar as araras. Potypiã perdeu o equilíbrio e largou das araras, caindo sem parar no espaço. Wasiry, sem poder salvar a amada, só pôde impedir que ela chegasse ao chão, pedindo que soltasse as sete penas uma por uma.

À medida que Potypiã ia se desfazendo das penas, seu corpo ia se esvaindo, transformado em cor. Foram sete penas que soltou, e em sete cores seu corpo se transformou. Só seu **çãburá**, onde levava o cocar feito pelo pai, caiu no chão.

Quando Anhãga olhou para o céu, viu não mais a moça, mas um lindo arco-íris, ostentando uma beleza sem igual. Conseguira roubá-la de seu amor, mas também não ficou com ela. Wasiry é quem passou a cuidar de Potypiã. Sempre que ele manda chuva para a terra, sua amada aparece em forma de arco-íris.

QUEM SÃO OS MARAGUÁ

As histórias que você acabou de ler fazem parte da tradição do povo Maraguá, que vive à beira do rio Abacaxis, no estado do Amazonas. Ele está dividido em quatro aldeias que ficam dentro dos limites dos municípios de Borba e Nova Olinda do Norte. Esse território é chamado Maraguapajy, "o país dos Maraguá".

Esses indígenas falam a língua maraguá. O nome foi formado juntando duas palavras de seu vocabulário: *mará* (que significa tacape, um tipo de bastão) e *guá* (gente, nação). Os Maraguá sempre foram muito hábeis no manuseio do tacape.

Por muito tempo, o povo Maraguá foi tido como extinto, e seus integrantes considerados um subgrupo de outro povo, o Sateré-Mawé. Os Maraguá e os Sateré--Mawé têm uma história em comum, que vem desde a colonização do Brasil; também lutaram juntos pela demarcação de seus territórios. Mas cada um tem sua língua e sua cultura, além das diferenças étnicas entre eles.

Mesmo assim, o povo Maraguá teve de lutar bastante para ser reconhecido como um grupo independente. Ao todo, existem 350 indígenas que fazem parte do povo Maraguá, e apenas 200 vivem no território indígena.

As pessoas são divididas em clãs, uma espécie de família. Cada um desses clãs recebe o nome de um animal que o simboliza: *Piraguáguá* (gente do boto), *Aripunãguá* (gente da vespa), *Çukuryguá* (gente da cobra), *Pirakêguá* (gente do puraquê, o peixe elétrico), *Tawatoguá* (gente do gavião) e *Yaguareteguá* (gente da onça). A nação é representada pelo peixe--boi, como você leu no conto "Guarũguá, o filho da paz".

Na região onde vivem, os Maraguá são conhecidos como "o povo das histórias de assombração", porque adoram narrar suas lendas. As que você acabou de ler são apenas uma pequena amostra de sua rica mitologia, repleta de entidades maléficas e benignas.

Outro traço importante da cultura maraguá é o exercício da luta corporal Piãguá; praticada por homens e mulheres dentro de um círculo, o objetivo da luta é tentar jogar o oponente de costas no chão.

O povo Maraguá continua lutando pelo seu reconhecimento, pela demarcação de seu território e para proteger a floresta onde vive, constantemente ameaçada por pessoas em busca de madeira e de peixes.

GLOSSÁRIO

Ãguipagwák: lê-se "anguipaguá". Antigo ritual de casamento do povo Maraguá, no qual a moça escolhe seu marido. Os pretendentes ficavam em círculo, e a moça entrava de olhos vendados no meio deles. Depois, abria os olhos para apontar seu futuro marido. Por ser um ritual antigo, seu nome não tem significado na língua maraguá moderna.

Anaye'reçá: lê-se "anaiêreçá". Nome próprio masculino que significa 'olho de gavião' na língua maraguá.

Anhãga: Deus do mal, o espírito opositor a Monãg, na mitologia maraguá. Vive no mundo subterrâneo, o Pa'ãguáp.

Aninga: vegetação amazônica típica de locais alagados, de difícil acesso. Serve de morada para vários animais, que vivem debaixo de suas raízes, entre eles, a temida sucuri.

Aningáwa: lê-se "aningáua". Nome próprio masculino que significa 'o que pertence a aninga' ou 'criador de aninga' na língua maraguá.

Banzeiro: palavra do linguajar amazônico que significa 'onda de rio'. Ondas altas produzidas por barcos grandes. Para onda pequena, diz-se 'marisia'.

Çãburá: cesto de palha confeccionado por homens e mulheres com talas de warumã, uma palmeira pequena, usado principalmente para guardar produtos femininos ou pequenos objetos.

Çukuywéra: o grande espírito protetor das cobras. Uma das seis entidades denominadas Espíritos Protetores da Natureza, na mitologia e crença maraguá. Parece uma cobra gigantesca. Seu *habitat* é o lago, mas acredita-se que seja onipresente.

Curumim: significa 'menino' na língua tupi.

Guaporé: nome masculino que significa 'lençol' ou 'pano grande' na língua maraguá.

Guirá'pó: lê-se "guirapó". Nome próprio masculino que significa 'garras de pássaro' em língua maraguá.

Gwasytáwa: lê-se "guacitáwa". O nome significa 'aldeia das estrelas' em língua maraguá.

Imirá'ãtã: lê-se "imiráantan". Árvore famosa por sua rigidez, própria para fabricação de arco, por isso é conhecida como pau-d'arco. No Sul do Brasil, é chamada de ipê.

Imiráçukwêna: lê-se "imiráçucuêna". A preciosa é uma árvore de grande porte das matas amazônicas, cuja madeira perfumada é raspada para fazer um chá muito saboroso. Seu nome significa 'árvore cheirosa' na língua maraguá.

Izagaia: flecha de tridente, própria para pescar peixes grandes, como o tambaqui. Tem uma haste de pau-d'arco e pontas de ferro ou osso encaixadas entre si.

Kaxiry: bebida alcoólica extraída da batata ou da mandioca doce. É tomada pelos adultos em festas, após trabalhos comunitários.

Kaxy: nome próprio masculino que significa 'Lua' em língua munduruku.

Mabary: planta aquática de folhas largas, muito comum em lagos da Amazônia.

Maloca: nome de um dos vários tipos de casas na cultura maraguá, onde costuma viver uma família. A maloca é uma casa redonda, toda de palha, tanto na cobertura quanto nas paredes.

Malyli: pajé, feiticeiro. É uma das principais lideranças de uma aldeia ou de um território. É importante por sua capacidade de cuidar de doentes, por seu conhecimento das plantas medicinais e por zelar pela cultura religiosa de seu povo, mas não é um governante político como o tuxawa.

Manyçaguali Morãg: *Maniçagualy* significa 'espírito protetor da mandioca', e *morãg*, 'bonita', na língua maraguá. O nome da personagem quer dizer 'belo espírito da mandioca', em alusão a uma entidade feminina filha de dois espíritos da mandioca. Cada espírito protetor da mandioca tem seu nome próprio, mas no geral são chamados de Manyçagualy. Ao pé da letra, o nome significa 'mãe da roça', o que equivale a dizer 'espírito protetor', pois, na crença tradicional, todo protetor pode ser chamado de mãe ou de pai.

Manyguára: palavra que significa 'morador ou moradora da roça de mandioca', em língua maraguá.

Manywa: maniva, a árvore da mandioca. Assim como para todos os povos indígenas e para os habitantes da Amazônia, a mandioca é fundamental na alimentação dos Maraguá. Não há alimento que não seja acompanhado pela farinha de mandioca. Também é dela que se fabricam beijus, tapiocas, tucupis e tantos outros pratos da culinária do Norte do Brasil.

Maraká: chocalho. Feito de cabaça de árvore de jamaru ou de cuia, é um instrumento musical muito usado entre os povos indígenas, principalmente em época de festas.

Marãna: 'guerra', em língua maraguá. Os povos indígenas guerreavam constantemente por diversas causas: território, intrigas políticas, despojos de guerra, roubo de mulheres e crianças... Antigamente, a nação Munduruku era a mais temida da região do baixo Amazonas, por isso povos como Mawé, Maraguá e Parintintin eram seus inimigos.

Matrinxã: peixe de escama, típico da Amazônia, de tamanho médio, muito valorizado pelo sabor. Seu nome não tem significado além do que representa.

Mirixawaruka: a casa de conselho da aldeia dos Maraguá. Nela as autoridades de aldeias ou da nação resolvem as decisões politícas mais importantes. É lá também que os velhos, líderes e curandeiros se reúnem para contar histórias tradicionais e de fantasmas.

Monãg: Deus do bem e criador do Universo para os Maraguá. Segundo a mitologia, vive nas terras mais altas da Amazônia, precisamente na região do rio Abacaxis, área do povo Maraguá. Tem um único filho, o semideus Wasiry.

Panãby'piã: lê-se "pananbipiã". Nome próprio feminino que significa 'borboleta-moça'.

Patyxulymirá: árvore amazônica também chamada de pau-rosa. Seu nome significa 'árvore de patchuli' na língua maraguá. É uma alusão à planta cujo óleo é muito utilizado para fazer perfumes, assim como é feito com a essência do pau-rosa na Amazônia.

Piãg'nawa: casa de reclusão para meninas após a primeira menstruação. Durante seis meses, elas ficam nessa casa fazendo artesanatos tradicionais do povo Maraguá. No ano seguinte, passam mais três meses aprendendo trabalhos domésticos e, no terceiro ano, ficam só mais um mês para receber os conselhos das mulheres mais velhas sobre a vida de esposa.

Pirapitinga: uma das espécies de peixe de água barrenta que existem nos rios da Amazônia. Seu nome quer dizer 'peixe branco' na língua nheengatu.

Potypiã: lê-se "potipiam". Nome próprio feminino que significa 'moça-flor' na língua maraguá.

Restinga: lugar alagado com árvores na curva do rio.

Rio Andirá: rio localizado na região do baixo Amazonas, entre os municípios de barreirinha e Parintins. É o território tradicional do povo Mawé, famoso pelo cultivo do guaraná na região do baixo Amazonas.

Sororoca: diz-se também 'banana brava'. Vegetal parecido com bananeira comum, que cresce nas várzeas amazônicas.

Tãbaguá: nome próprio masculino que, na língua maraguá, significa 'gente-peixe que bate com o rabo na água'.

Tapiry: cabana de palha, usada como casa ou barracão provisório.

Terreiro: quintal, lugar próximo da casa, ao redor da casa ou no centro da aldeia.

Timbó: vegetal tóxico cuja raiz batida era usada pelos pescadores amazônicos para inebriar os peixes e pescá-los com facilidade. Hoje essa prática está proibida entre os indígenas.

Tuxawa: a pessoa ou o título de quem governa uma aldeia, um clã, uma região ou um povo, na Amazônia. Ao tuxawa de nação, que comanda todo um povo, dá-se o nome de tuxawa-geral. O povo Maraguá tem seis clãs, portanto, são seis tuxawas de clã; tem quatro aldeias, mais quatro tuxawas de aldeia, além do tuxawa-geral e do vice-tuxawa-geral.

Wasiry: herói filho de Monãg, o semideus é o criador do povo Maraguá. Segundo a mitologia, viveu entre os Maraguá, deixando quatro filhos, os tuxawas dos quatro primeiros clãs do povo. Hoje, acreditam que, além de ser onipresente, Wasiry vive no monte Carequinha, localizado no rio Abacaxis.

Wirapuru: uirapuru. Para os Maraguá, a aparição ou presença do uirapuru representa sorte. Por isso ele é empalhado e considerado um dos amuletos sagrados do povo Maraguá.

Yãbetue'y: uma das quatro aldeias do povo Maraguá, a principal na atualidade.

Ygarapé: rio pequeno. A palavra significa 'caminho de canoa' nas línguas nheengatu e maraguá.

Zorak: homem-morcego, entidade da mitologia maraguá. Segundo a lenda, os zoraks habitaram o lago sagrado Waruã, onde foram mortos por guerreiros maraguás. O único zorak que sobreviveu foi Ezamume, o pai dos demônios kãwéras.

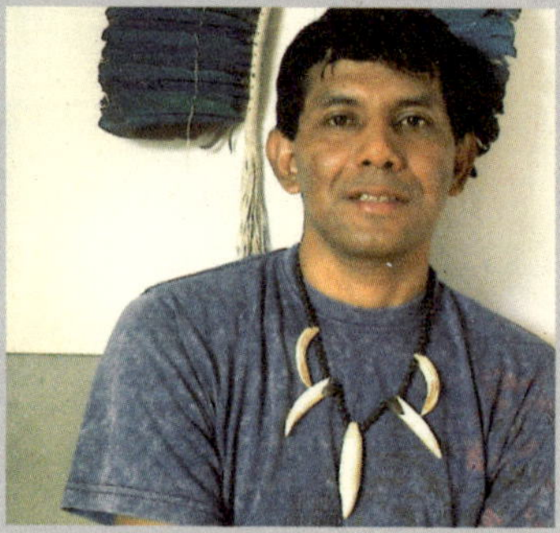

Foto: arquivo pessoal

O AUTOR

Yaguarê Yamã nasceu em 1973, no interior do Amazonas. É filho do povo Maraguá por parte de mãe e do povo Sateré-Mawé, ou simplesmente Mawé, por parte de pai. Seu nome significa 'clãs de onças pequenas'. Formou-se em Geografia pela Universidade de Santo Amaro, na cidade de São Paulo, onde morou por seis anos. Além de contar as histórias de seu povo em livros, Yaguarê também é um ativista da causa indígena e luta pelo seu reconhecimento e pela proteção dos Maraguá. O escritor também ensina Geografia para alunos do Ensino Médio na cidade amazonense de Parintins. Entre os prêmios que recebeu por suas obras, estão o White Ravens, da Biblioteca de Munique, na Alemanha, e o selo Altamente recomendável, da Fundação Nacional do Livro Infantil e Juvenil – FNLIJ.

Ele conta que ficou muito feliz com a publicação deste livro, que vai levar a cultura dos Maraguá para leitores de todo o Brasil. "Assim, nossa literatura oral se torna escrita e não corre mais o risco de se extinguir. O significado desses mitos é a essência do nosso povo. Neles está o que temos de mais sagrado: nossa cultura, que precisa ser preservada."

A ILUSTRADORA

Catarina Bessell nasceu em São Paulo, em 1984. É formada em Arquitetura e Urbanismo, mas sempre preferiu desenhar nas paredes a construí-las. Em 2009, fundou seu ateliê de artes gráficas. Além de ilustrar livros, também desenha para jornais e revistas. Para ela, o contato com a cultura dos Maraguá foi muito revelador, tendo se encantado, especialmente, com o respeito que esse povo indígena tem pela natureza, desde as árvores de grande porte às pequenas lagartas. Catarina adora folhear livros de botânica. Por isso, o que mais gostou de ilustrar no livro foram as plantas e árvores. Para criar as artes que você viu aqui, ela usou lápis de cor aquarelável e lápis grafite.

Foto: arquivo pessoal